ANÔNIMA
INTIMIDADE

MICHEL TEMER

ANÔNIMA INTIMIDADE

Prefácio de
CARLOS AYRES BRITTO

Ilustrações de
CIRO FERNANDES

TOPBOOKS

Copyright © 2012 Michel Temer

EDITOR
José Mario Pereira

EDITORA ASSISTENTE
Christine Ajuz

REVISÃO
Miguel Barros

CAPA E PROJETO GRÁFICO
Miriam Lerner

CIP-BRASIL. CATALOGAÇÃO-NA-FONTE
SINDICATO NACIONAL DOS EDITORES DE LIVROS, RJ

T278a

Temer, Michel, 1940-
    Anônima intimidade / Michel Temer; prefácio de Carlos Ayres Britto; ilustrações de Ciro Fernandes. - Rio de Janeiro : Topbooks, 2012.
    164 p. : il. ; 23 cm

    ISBN 978-85-7475-215-0

    1. Poesia brasileira. I. Título.

12-8973.   CDD: 869.91
                                                                                 CDU: 821.134.3(81)-3

TODOS OS DIREITOS RESERVADOS POR
Topbooks Editora e Distribuidora de Livros Ltda.
Rua Visconde de Inhaúma, 58 / gr. 203 – Centro
Rio de Janeiro – CEP: 20091-007
Telefax: (21) 2233-8718 e 2283-1039
E-mail: topbooks@topbooks.com.br
Visite o site da editora para mais informações
www.topbooks.com.br

SUMÁRIO

Prefácio – Carlos Ayres Britto 11
Explicação 17
Outro 21
Idade 22
O relógio 23
Repetição 25
A Álvares de Azevedo 26
Tamer 27
Epitáfio 28
Exposição 29
Eu 30
Tu 31
Ele 32
Nós 33
Vós 34
Eles 35
Sacrilégio 36
Embarque 37
Bolero 38
Tango 39
Salsa 40
Mesmice 42
Afif 43
O homem e o computador 44
Percepção 45
Por quê? 46
Alegria 48
Sorriso 49

Reprodução	50
Inspiração	51
Penso	52
Assintonia	54
Pré	55
Ser	56
Passou	57
Quem?	58
Primeira ambição	59
4	61
Presente/ passado/ futuro	62
A palavra	63
Samba-canção	64
Lembrança	65
A carta	66
Dúvida	67
Desmentido	68
Precocidade	69
A menina e o sonho	70
Laço de fita	72
Das águas	74
Ciclo fatal	75
Indiscrição	76
Sem título	77
Tempo que passa	78
O sabiá	79
Anônima intimidade	82
Dor de cabeça	83
Desabafo	84
Conselho	86
Audição	87
Olfato	88

Tato	89
Saber	90
Aeroporto	91
O olhar	92
Curiosidade	93
Passou	95
Sonho real	96
Sabedoria	97
Até breve	98
Cantiga infantil	99
A letra P	100
Indefinição	101
O piano	102
Bergman e Antonioni	104
Susto	106
A caneta	107
Gerações	108
Socorro	109
Entrelinhas	111
Iracema	112
A vida e a foto	114
Radicalismo	115
Edu	116
Velório	118
Os olhos	119
Entusiasmo e fracasso	120
Procura I	121
Fuga	122
Procura II	123
Viver	124
Espaços	125
Dívida	126

Pensamento	127
Trajetória	128
Falta	129
Transferência	130
O espelho	132
Vai e vem	134
Vermelho	135
Nada é tudo	136
Outra vez	138
Compreensão tardia	139
Pensamento	140
Engano	141
Longe. Muito longe	142
Vida e morte	143
Confissão	145
Procura III	146
2002	147
Angústia e culpa	149
Relações	150
Desânimo	152
Só	153
Garça? Graça!	154
O homem em dobro	156
Réquiem	157
Retrato	158
A vida e o tempo	159
Bom ano	160
Vela e vida	161
Breve ilusão	162
Nascimento e desejo	163

PREFÁCIO

Carlos Ayres Britto

Leio Michel Temer. Não o Michel Temer escritor jurídico, a descrever as normas constitucionais com a proficiência de um verdadeiro jurisconsulto (seu livro *Elementos de Direito Constitucional* beira a 30ª edição, justamente porque redigido num estilo em que o rigor científico das proposições se faz acompanhar do mais cristalino didatismo). Tampouco leio o Michel Temer renomado autor de pareceres e discursos parlamentares, ao lado de tantos projetos de leis e outros documentos normativos que nunca deixam de exibir as salientes notas do intelectual consumado; ou seja, do intelectual que mescla num mesmo tom a escorreita forma idiomática e o conteúdo mais consistente. Não! Não é esse Michel Temer que me ponho a ler nestas páginas, porque nelas o correr da pena vem mais embebido nas tintas da sentimentalidade criativa do que nas da racionalidade analítica.

Deveras, o Michel Temer que estou a ler não é aquele basicamente alojado no hemisfério esquerdo do próprio cérebro, o lócus do pensamento (o polo contrário do pensamento é o sentimento, conforme classificação da Física Quântica e da Neurociência). Pensamento gerador dessa energia a que denominamos ideia, conceito, silogismo, teoria, doutrina, sistema e todo o gênero de abstrações que estamos aptos a fazer como seres dotados de razão. Logo, pensamento que é sinônimo perfeito de inteligência racional ou lógica ou intelectual ou cartesiana, responsável por um tipo de conhecimento dito científico: aquele que se obtém por metódicas aproximações de um objeto necessariamente isolado ou fechado em si mesmo, à guisa de parte sem um todo. Donde se dizer, amiúde, que cientista é aquele que sabe cada vez mais sobre cada vez menos. Saber científico, além do mais, somente obtido pela mediação do intelecto entre o sujeito cognoscente e o objeto cognoscível. Não por direta e total incidência do ser investigante sobre a coisa investigada, sabido que o ser humano em sua totalidade é mais que o seu próprio intelecto e por isso também pode apreender a essência das coisas num súbito de percepção, a partir de faculdades que são direta emanação de um espírito rigorosamente *infragmentado* ou 'in natura'. Sem pasteurização de qualquer ordem, portanto, mesmo que procedente dessa fundamental parte de nós a que chamamos de lógica ou razão.

Insisto: não é Michel Temer enquanto cientista do Direito que leio neste livro. Consagrado cientista que, hospedado no hemisfério racional das suas faculdades cerebrais, nos vem transmitindo lições desta envergadura cognitiva: a primeira e radical postura metodológica de todo operador jurídico é rastrear a Constituição Positiva para ver se, nela, o tema a equacionar já se encontra normativamente conformado, ainda que parcialmente. Ou que o partejamento de uma nova Constituição também se faz acompanhar do partejamento de um novo Estado (que ela, Constituição, nomina e centralmente estrutura e até funcionaliza). Ou que os pressupostos de edição de uma medida provisória são cumulativos, pois é preciso que o estado factual de coisas por ela invocado se caracterize como de relevância e urgência (não uma coisa *ou* outra, alternativamente, mas uma coisa *e* outra, concomitantemente). Ou que a pauta de trabalhos do Poder Legislativo é de ficar permanentemente desobstruída para a tramitação de matéria insuscetível de regulação por medida provisória, juízo que tem a virtude democrática de colocar sob maior controle do Poder Legislativo a sua própria agenda de iniciativa, discussão e elaboração dos precitados atos da ordem legislativa. Todas estas proposições tecnicamente irretocáveis, sem dúvida, cientificamente fundamentadas, é certo, mas ainda assim a se colocarem fora do centrado interesse desta nossa leitura.

Bem diferentes, os escritos que se põem como objeto desta nossa vista d'olhos procedem do hemisfério direito do cérebro dele próprio, Michel Temer, que não é senão o dominante lado do sentimento. Sentimento que é fonte de uma outra espécie de energia vital: aquela que nos faz contemplativos e disponíveis para tudo que se manifeste em nossa interioridade e também do nosso lado de fora, de parelha com os estados d'alma que atendem pelos nomes de intuição, sensitividade, imaginação criativa, percepção (que não se confunde com reflexão), coragem para sermos nós mesmos e, portanto, originais. Tudo na linha nietzschiana do "Torna-te quem és" e na vertente socrática do "Conhece-te a ti mesmo", condição e ao mesmo tempo garantia de um conhecimento virginalmente novo ou de *primeira mão*. Ainda mais: energia que nos catapulta para o mundo dos valores, essa *chave de ignição* da bem-aventurança como categoria transcendente ou espiritual, sabido que os feitos da Ciência não conseguem ultrapassar a dimensão imanente do bem-estar físico ou mental. Ou corporal e psicológico, se se prefere.

Dito ainda por outro modo, o livro que estamos a prefaciar é o que nos habilita a conhecer um Michel Temer muito bem fincado no lado direito do seu próprio cérebro, esse hemisfério neutral que se põe como fonte da energia existencial que torna os seres humanos hospedeiros dos valores que mais conferem sentido e grandeza a esta vida terrena. Valores que são bens intrinsecamente benfazejos do indivíduo e da coletividade, na medida em que também intrinsecamente qualificadores de quem individualmente os pratique e da sociedade que os encarne como traço de sua própria cultura. Refiro-me aos valores do carinho, afeto, amor, solidariedade, compreensão – num plano mais imediatamente conjuntural ou interativo –, assim como aos princípios da democracia, moralidade, justiça, bondade e estética, já num plano mais imediatamente estruturante de toda uma população geograficamente situada e juridicamente personalizada. Dando-se que no âmbito da estética enquanto atividade produtora de beleza é que se inscrevem as obras de arte em geral e a poesia em particular. Caso do presente livro, a nos revelar um Michel Temer ora poeta, ora prosador poético, e, nesse domínio estético, um refinado artífice das palavras. Como bem versejou Manoel de Barros, se as minhocas arejam a terra, os poetas arejam a linguagem. Isso no claro pressuposto de que ninguém melhor que eles para manter com as palavras o mais arrebatado caso de amor.

Pois bem, aqui na seara dos poemas e demais textos poetizados que trazem a assinatura do atual vice-presidente da república é que nos surpreendemos afirmativamente com alguém que se desnuda ou que se vira pelo avesso para dar conta dos mais íntimos encontros com os eternos temas do *amor-a-dois*, da sensualidade, das tramas do futuro e do estilete da saudade, dos persistentes déficits de qualidade da nossa vida política, dos renitentes desequilíbrios sociais e regionais do Brasil, dos mistérios da vida e da morte, da onipresença de um Deus criador de todo o universo. Alguém que, dentro de si, bravamente impede que o adulto de hoje feche todos os espaços de movimentação da criança de ontem. E que põe asas de condor na própria imaginação para deixar emergir o universal que dentro dele se confronta vitoriosamente com o individual. Convicto de que sem o eclipse do ego ninguém se ilumina. Como também convencido e praticante da ideia de que a silhueta da verdade só assenta em vestidos transparentes, permito-me dizer assim.

Falo, então, sobre um Michel Temer que recorre a hipérboles ("Acumulam-se em mim séculos de dor"); metáforas ("Flagro o momento, imobilizo o fato"); neologismos ("potrancado", "incompartilhada", "abraçante"); oximoros ("A quem minha memória deve armazenar?") e às demais figuras de linguagem que fazem a poesia ultrapassar a fosforescência dos vaga-lumes para alcançar a fulgurância das estrelas, a exemplo deste primoroso *Koam* (o oximoro ou aparente paradoxo dos espiritualistas orientais): "O pingo de sangue no teclado branco. Tuberculoso. Chopin". Numa frase, esse Michel Temer sobre quem discorro é o homem maduro que, liricamente, ainda porta consigo os sonhos de sua meninice e juventude. Mais ainda, é o político partidário que não deixou morrer o jurista que nele coabita, assim como esse mesmo jurista não deixou que sua inteligência racional embotasse a sua inteligência emocional e, por desdobramento, a sua inteligência espiritual (que prefiro chamar de *consciencial*). Que ele venha para tomar o merecido assento na irmandade dos que fazem da palavra escrita um hino de louvor à estética e a mais santa reverência ao humanismo.

EXPLICAÇÃO

Tenho guardanapos de papel arquivados. Foi neles, nas viagens aéreas Brasília-São Paulo, que escrevi os poemas que estão neste livro. Deixava a arena árida da política legislativa e me entregava, durante o voo, a pensamentos. Eles se descolavam da minha mente e colavam no papel. Ao fazê-lo, sentia-me recuperado. Cada escrito representava o meu interior se exteriorizando. E me davam a sensação de retorno aos meus 15, 16 anos, época em que sonhava ser escritor. A vida encaminhou-me para outros destinos. A advocacia, o magistério universitário e, a seguir, a vida pública, permitiram-me escrever apenas livros técnicos.

Escrevi estes escritos para mim. Era um sonho meu que não se realizava para que terceiros soubessem dele. Sonhava comigo para mim mesmo. Amigos, contudo, souberam e quiseram conhecê-los. Como eram amigos verdadeiros, dei-lhes a conhecer. Com um pedido: sendo tão próximos, dissessem-me, com franqueza, o que achavam. Todos me incentivaram à publicação. Um deles, o ministro Carlos Ayres Britto, além de aprová-los, disse apreciar prefaciá-lo. Fez considerações, ao seu estilo claro e didático, que enalteceram exageradamente meu modesto trabalho. A ele minha gratidão. Ao leitor, ofereço o meu retorno aos 15, 16 anos.

O autor

Esta é obra de ficção. Qualquer semelhança comigo ou com terceiros é mera coincidência.

OUTRO

O outro sou eu.
Assim. Triste. Desarticulado. Desejoso. Choroso.
　Alegre, às vezes.
Romântico. E terno. Necessitado da ternura. Carente.
Criança. Que, crescendo, assustou-se. E volta a ser criança.
Neste livro. A recuperar-se. Traçar o rumo que desejei.
　E não consegui.
Para vencer o medo, encorajei-me. Combati. Com firmeza.
Determinação. Contido. Para não chorar.
　Argumentando, sempre.
Ao invés da lágrima, o músculo retesado. E o enfrentamento.
　O debate. E a vitória.
Para quê? Reduzi a miséria no mundo? Material,
　pessoal, espiritual?
Não. Vivi o eu aparente. Apenas. Mas eu sou o outro.
Este, que está nestas páginas.

IDADE

Tapa. Choro. Vida.
Seio. Aconchego. Proteção.
Professora. Primeira colega. Um olhar. Amor.
Sonhos. E sonhos.
Futuro. Espera.
Viço. Beleza.
Vigor.
Futuro ainda.
Paixões. Muitas.
Trabalho. Ambição.
Cheguei!
Desilusões. Minhas. Comigo. Com outros. Traições.
E o viço? E o vigor? E o desejo? Cadê?
Rugas. Por fora. Por dentro. Olhos. Tristes.
Reflexão. Conclusões. Passou. Não fiz. Nem farei mais.

O RELÓGIO

Antigo.
Quase 80 anos.
E funcionando.
Batidas lindas a cada meia hora.
E tiquetaqueia o seu pêndulo.
Viveu toda a sua vida numa parede.
Na mesma parede da chácara.
Tão antigo.
Tão lindo.
Tão nobre.
Resolvi levá-lo para casa.
Para São Paulo.
Preguei-o na parede.
Maravilha.
Enricou a sala.
Mas suas horas, a cada meia hora, batiam mais leve.
Descia a escada e olhava.
Comecei a vê-lo triste.
Choroso.
Estranhando o lugar.
"Depois de tanto tempo".
"Na velhice".

"Eu não merecia",
Parecia dizer-me.
À noite, os pesadelos não me largavam.
Perdia meu caminho.
Não achava minha casa.
Era o meu pesadelo.
Sentia o que sentia o relógio.
Resolvi devolvê-lo.
Voltou à parece da chácara onde viveu 80 anos.
Ontem, o vi.
Estava radiante.
As horas batiam fortes.
Estava alegre.
Será o relógio? Ou serei eu?

REPETIÇÃO
(A Jorge Luis Borges)

Se eu morresse hoje
Faria tudo como fiz.
Não mudaria nada.
Repetiria, simplesmente.
E me arrependeria
Novamente.
Como me arrependo hoje
Por tudo que fiz.

A ÁLVARES DE AZEVEDO

Se eu morresse amanhã
Não viria fechar meus olhos
Minha triste irmã.
Porque já morreu.
Minha mãe de saudades não morreria.
Porque morreu.
Nem meu pai. Nem meus irmãos
Que morreram.

Por isso, a dor no peito
Que devora o dolorido afã,
Me ensurdece com gritos lancinantes.

Não posso, como Álvares,
Ter esperança.
Ninguém fechará meus olhos
Nem morrerá por mim.
Só eu,
Na solidão incompartilhada.

TAMER

Foste há dois meses.
Para mim, apenas a matéria.
Tua presença havia ficado.
Afinal, a cada dois meses.
Ia vê-lo em Tietê.
Achava que ia rever
A chácara, onde vivi.
Achava que ia lá recordar-me.
Repassar o passado.
Mas hoje, quando tive
Desejo de voltar para lá,
Fiquei sem saber o que visitar.
Tietê? A chácara? Não.
Queria ver-te na visita.
Tu eras a síntese da família.
Do passado. Dos que se foram.
Quanta história na tua presença.
Antes de ires, teu corpo foi minguando.
Saía de ti um pouco do passado
E das lembranças da família.
Minguaste até desapareceres.
Míngua em mim
O desejo da visita.
Até porque só agora
Realizei a tua ausência.

EPITÁFIO

★ 1970 † 2005

Caminhou pelas ruas do Centro.
Não as reconheceu.
Nem se reconheceu.
Perdeu-se.
Nas ruas e na sua memória.

EXPOSIÇÃO

Escrever é expor-se.
Revelar sua capacidade
Ou incapacidade.
E sua intimidade.
Nas linhas e entrelinhas.
Não teria sido mais útil silenciar?
Deixar que saibam-te pelo que parece que és?
Que desejo é este que te leva a desnudar-te?
A desmascarar-te?
Que compulsão é esta?
O que buscas?
Será a incapacidade de fazer coisas úteis?
Mais objetivas?
É por isso que procuras o subjetivo?
Para quem a tua mensagem?
Para ti?
Para outrem?
Não sei.
Mais uma que faço sem saber por quê.

EU

Deificado.
Demonizado.
Decuplicado.

Desfigurado.
Desencantado.
Desanimado.

Desconstruído
Derruído.
Destruído.

TU

É mais que você.
É íntimo. Próximo.
Abraçante. Enlaçante.
Para o bem. Ou como ameaça.
Não é contíguo, como você.
É afirmativo. Direto.
Se agrada ou agride.
Se apoia ou nega.
É sem fronteira. Sem separação.
Até o som é mais forte do que você.
Daí a intimidade.

ELE

Está sempre ausente.
Em todas as conversas.
É ele quando dele se fala.
Faz a sua presença quem dele fala.
É dependente de quem dele se lembra.
Não existe por si, mas pela lembrança de outro.
Não é como o eu, o tu, o nós, o vós.
Presenças, sempre.
O ele é ausência, sempre.

NÓS

É um plural singular.
Específico.
Parece plural. Mas busca o singular.
O único. A unidade.
Realizado o nós, todos fazem um só. Nós.
Tem força para unir sentimentos.
Pluralidade à parte, pode existir um único nós
Contra outro único nós.
Esta é a singularidade.

VÓS

Que voz usa vós?

Vós, com jeito de nós, parece plural. Mas é singular. Não porque coletivo unificado.

Porque é um só. Vós exige sempre o S, sílaba indicativa de plural. Vós sois? Vós fostes? É um falso plural.

ELES

São muitos.
Milhares.
Caminham pelas ruas.
Não me conhecem.
Não os conheço.
É o pronome coletivo desconhecido.

SACRILÉGIO

Tinha fome,
Muita fome.
Alimentava-se de hóstias.
Ia a todas as missas.
Desde as 6h.
Quando havia
Muitos fiéis,
Entrava nas duas filas.
E tomava duas hóstias.
Consumia, entre as missas
Da manhã e da tarde,
Dez hóstias.
Alimentava o corpo
E o espírito.

EMBARQUE

Embarquei na tua nau
Sem rumo. Eu e tu.
Tu, porque não sabias
Para onde querias ir.
Eu, porque já tomei muitos rumos
Sem chegar a lugar nenhum.

BOLERO

Dois e um
É a mais fácil.
É a primeira que aprendo.
Paixão sem erro
Nos passos
Dois e um.

TANGO

Com acordes de gralha
O bandoneón grita
No meio da orquestra
Que acompanha o bandoneón.
A sanfona. A harmônica,
Que para o tango
É bandoneón.
Para ser mais forte.
Mais penetrante.
Mais agudo.
Para ser dolorido.
Trágico.
Para ser compassado.
Cortante.
E imperial
Sobre a orquestra
E sobre o dançarino
Cujo passo
Não acompanha a orquestra.
Obedece ao bandoneón
Soberano da música.

SALSA

Dança. Requebra.
Solta seu corpo.
Rebola. Mexe cada músculo.
Fervilha seus olhos.
Isola seu raciocínio.
Sintoniza o corpo com a música.
Concentra-se.

A cada acorde, um requebro.
Misturam-se.
Enlaçam-se.
Integram-se.
Música e dança.
Na salsa.
Mulher e música: um só.

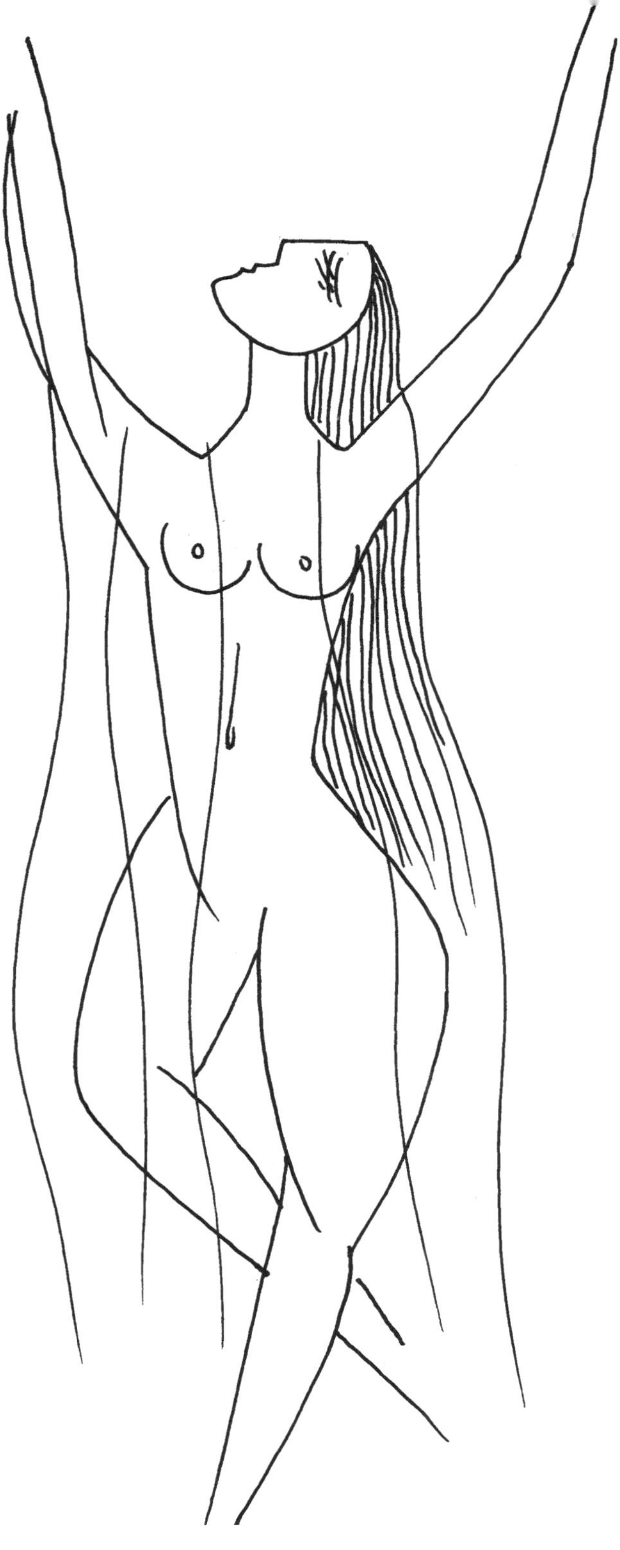

MESMICE

Repito a manhã
Repito a tarde.
E a noite
E a madrugada.
Repito o ato
E o fato.
Repito a fala
E o olhar.
Repito o riso
E o choro.
A leitura
E o escrito.
Repito eu mesmo
Todo dia.
Estou cansado
De mim!

AFIF

Soubera dele há 40 anos. Vira-o com Edmond, amigo com quem veio do Líbano. Logo os identifiquei como Mutt e Jeff. Afif, alto; Edmond baixo. E sempre juntos.

Trabalharam juntos. Na feira. Com muita dificuldade. Moraram juntos. Num quarto pequeno. Para economizar. Casaram-se. Depois, Afif separou-se. Soube que Edmond enriqueceu. Afif, não. Pequenas economias permitiram-lhe lojinha. Em rua nobre do Itaim. Cozinha pequena. Um quarto, talvez. Na frente, a sala-loja. Depois fechou a loja. Permaneceu na casa. Mas fica sempre na esquina. Olhando. Cabelos brancos, já encurvado. E com olhar triste. Como se pensasse no que deixou. No que não teve. E na terra acolhedora, mas estranha. Na cidade que lhe deu casinha mas muita solidão. Uma solidão silenciosa, triste. Compensada, apenas, pelo barulho das ruas e pelo passar das pessoas.

O HOMEM E O COMPUTADOR

Dois solitários. O homem e a máquina.
O homem serve-se do computador.
O computador serve ao homem para conectá-lo com outro. Procura diminuir sua solidão. Entra em sala de bate-papo. Pede e recebe mensagens. Noite adentro. Madrugadas. E o homem recebe o bálsamo da companhia. Ali. Ele e a máquina. Sem ninguém. Enquanto digita, está no mundo. Esquece a solidão. Até que apaga e fecha a máquina. E sobe, sozinho, despojado do mundo, para dormir.

PERCEPÇÃO

Percebido por si
Despercebido por outros.
Quando outros o perceberam
Despercebeu-se de si.

POR QUÊ?

Por que não paro?
Por que prossigo?
Por que insisto?
Por que lamento?
Por que reclamo?
Por que ajo?
Por que me omito?
Por que desabo?
Por que levanto?
Por que indago?
Por que questiono?
Por que respondo?
Por que este infindável
Por quê?

ALEGRIA

É possível
Com alegria
Fazer poesia?

SORRISO

Não é gargalhada
Aparentada do deboche.
Nem é risada
Prima-irmã da galhofa.
Não é esgar
Parente da monstruosidade.
Seu riso
É irmão da elegância.
Da franqueza.
Da honestidade.
Da adequação.
De certo mistério.
Seu riso
É, grandiosamente,
Um sorriso.

REPRODUÇÃO

Copiamos. Copiamos.
E copiamos.
Imitamos.
Repetimos.
Quantas ideias
Originais. Transformação de outras ideias originais
Que também foram transformadas
De outras, originais.
Ouvimos. Lemos. Gravamos.
Quando falamos ou escrevemos, damos apenas toque pessoal.
E escondemos – até porque não sabemos – onde lemos
    Ou ouvimos.
A vida é uma cópia.
Nem ela é original.
Dizem que é a revelação de Deus.
É secundária, portanto.
Não é primeira. Como tudo.

INSPIRAÇÃO

Trinta, quarenta escritos
E nada
De nova inspiração.
Será que já disse tudo?
Será tão pouco
O que tinha a dizer?
Será que os sentimentos
A angústia
A dor
Algumas poucas alegrias
Resumem-se a trinta,
Quarenta escritos?
Serei tão pobre
Interiormente?
Aqui estou.
Mais uma vez voando.
E usando
A falta de inspiração
Para inspirar-me
Neste escrito.

PENSO

Penso. Penso muito.
Desde os três anos.
Formulo. Reformulo.
Crio. Atuo. Executo.
Acerto. Erro.
Exulto. Arrependo.
À noite, sonho.
Sequência do pensar.
No pensamento
Sempre fui autor.
Hoje, de tanto pensar,
Sou vítima dele.

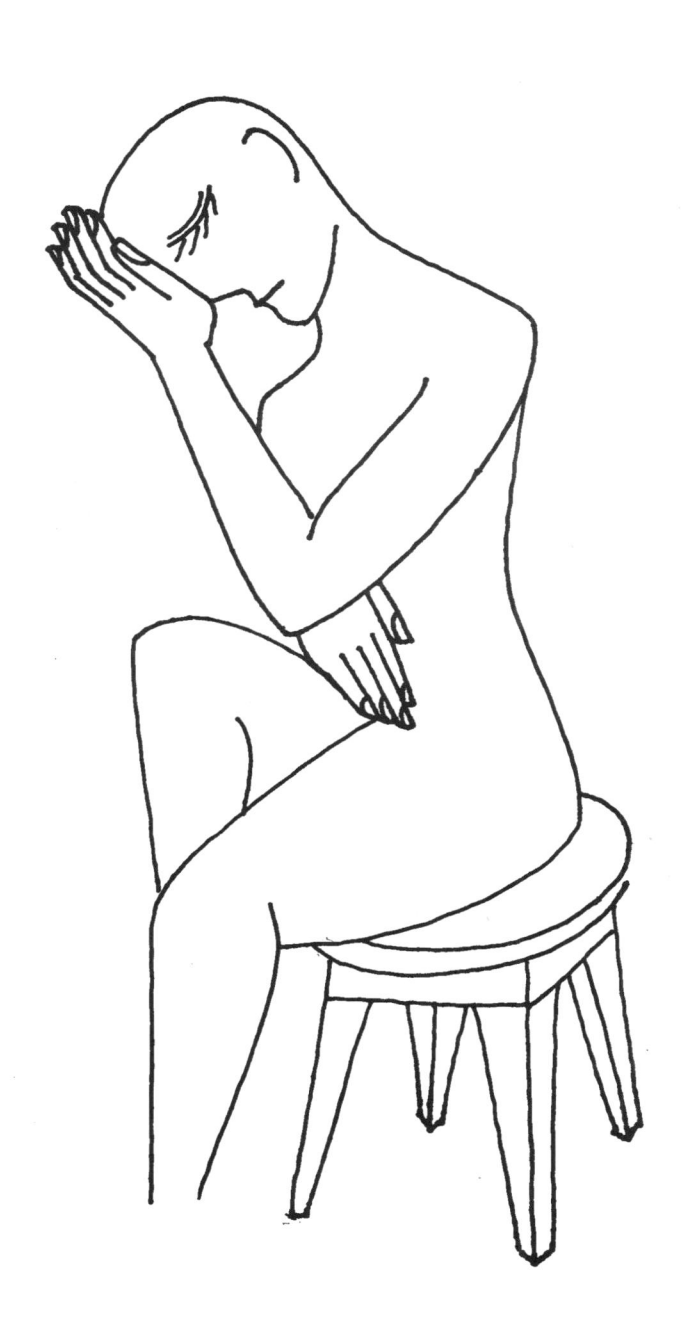

ASSINTONIA

Falta-me tristeza.
Instrumento mobilizador
Dos meus escritos.
Não há tragédia
À vista.
Nem lembranças
De tragédias passadas.
Nem dores no presente.
Lamentavelmente
Tudo anda bem.
Por isso
Andam mal
Os meus escritos.

PRÉ

Prefácio
É antes de fazer
Como posfácio
É depois de fazer.
Todo prefácio
É um posfácio
Porque escrito
Depois do texto
Feito.
Na verdade
Todo prefácio
É um pré-ler
Porque escrito
Para os que ainda não leram.

SER

Sou, hoje,
Aquele
Que quis ser
E não foi.
Mas
Se não fosse
O que fui
Não seria
O que hoje
Sou.

PASSOU

Nunca ousei
O quanto poderia ousar.
Agora é tarde!

QUEM?

Loira. Os olhos
Negros.
O cabelo, na raiz,
Negro.
Os lábios
Grossos.
O olhar (não os olhos)
Distante. Triste.
Romanceado. Vendo a África.
Sem a rapidez
E alegria
Dos olhos da loira
Postos na neve.
A quem minha memória
Deve armazenar?
A loira, falsa,
Ou a mulata, verdadeira?

PRIMEIRA AMBIÇÃO

Chegou.
De terno riscado
E gravata.
Capa de chuva
No braço.
E o cabelo
Preto repartido
Com óleo de lavanda.
Bonito. Era um
Homem bonito.
Desceu do táxi no chão batido.
Alegria da mãe.
Do pai. Minha.
Chegara da Capital.
Advogado recém-formado,
Já saíra no jornal.
Era o *Última Hora*.
O criminoso-cliente
Hiroito. Puxador de fumo,
Traficante.
Mas o recém-chegado
O libertara.
Habeas-corpus.

Elogiado pelo Tribunal.
Era assim que começava
Sua vida.
Com sucesso
Que acendia a alma
Dos pais.
E incendiava
Meu pensamento.
Via o meu futuro.
Também eu (por que não?)
Saindo do sítio.
Do interior.
E um dia
Em terno riscado
E gravata.
Fotografado no jornal
Repetindo meu irmão.

4

Este quadrado
Quadriculado
Quadrangulado
Quatro a Quatro
Quadrilhado
Inspira-se
No número
Quatro.
Mas o quatro
Cadeira de um só pé
De três riscos
Um só assento
Não tem nada
De quadrado.
O quadrado
É um falso 4.

PRESENTE/ PASSADO/ FUTURO

O presente
Tão presente
Tão instante
Tão agora.
O passado
Tão passado
Tão distante
Tão longínquo.
O futuro
Tão desconhecido
Tão preocupante
Tão inevitável
E tão desejado!

A PALAVRA

Nosso corpo foi planejado para produzir ruídos.
Um deles para garantir a comunicação.
Chama-se voz.
Veicula a palavra,
Que pode ser apenas um som, um ruído
Ou expressão de um sentimento.
A palavra sentimento convence.
A palavra ruído irrita.

SAMBA-CANÇÃO

"Você vive
Pra outra
Que não gosta
De ti".
Assim,
Louco,
Vou à procura
De ti.
Do teu querer.
Do amor.
Da entrega.
No ato.
E fora dele.
Desatino-me.
E tu não atinas
Com ele
Nem percebes.
Não é "por mal",
Sei.
Como no samba-canção,
É porque
"Não gostas
De mim".

LEMBRANÇA

Da infância
As lembranças
São difusas.
Dela, como um todo,
Na generalidade.
Mas os fatos
Ocorridos,
Específicos,
São marcantes.
Deles me lembro
Com exatidão.
Nos detalhes,
Na sensação.
Durante o dia,
São motivo de inspiração.
À noite,
Pesadelos.
Desesperação.

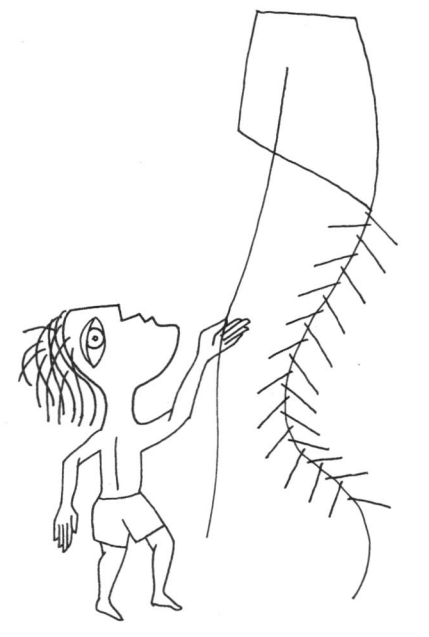

A CARTA

Leu.
Releu.
Não entendeu.
Mas compreendeu.
Tanto escreveu
Só para dizer
"Adeus".

DÚVIDA

De manhã
Uma inspiração.
Fantástica. Criativa.
Anotei-a
Na memória.
À noite
Cadê?
Será falta
De memória
Ou de nova
Inspiração?

DESMENTIDO

A letra
Desenhada.
Segura. Firme.
Nenhum tremor.
Pequenos volteios.
Fruto da suavidade.
A conduta
Frágil. Titubeante.
Movediça.
Desencontrada.
Descaracterizadora.
Alcoólatra. Na fase adulta.
Resultado da conduta
Reveladora dela.
Mas a letra
Continuava firme.
Segura.
Mostrando a diferença
Entre o físico
E a mente,
Desmentindo a teoria
De que a letra revela a alma.

PRECOCIDADE

Lembro-me da discussão
Do tapa
Do empurrão
Dos gritos
Da confusão.

Nasci
Dez dias depois.

A MENINA E O SONHO

Na charrete. Carroça com sola de borracha.
Ao lado do pai.
Na estrada esburacada.
Por isso, balançando,
Chacoalha o corpo,
Balançam os seios da menina
Com cabelo lavado,
Cacheado e negro.
E os olhos tristes,
Mas cheios de sonhos.
Será que percorrerei avenidas?
Longas? Limpas?
Em carros de luxo
Onde meus seios não balancem?
A charrete, o cavalo
Serão simples recordação?
Chegarei lá?
Ou ficarei aqui?
Onde minha pele envelhecerá
Pelo sol forte da roça,
Pela aspereza da poeira,
Pelo corte do canavial,
Pela colheita do café,

Pela gravidez que me engordará,
Pelos seios que cairão,
Pela tristeza que me assumirá,
Pela decepção que me
Assaltará.

LAÇO DE FITA

"Não sabes, menina,
Prendi-me num laço de fita".
Era Castro Alves.
E minha mente vagava,
Cinematografava.
Acompanhava os volteios,
Tornava-me leve
E alegre.
Alegria sonhadora,
Quase real.
O coração
Romanceado.
Batendo
No ritmo compassado
Da música.
E o laço de fita
Roçando levemente meu rosto.
Sedoso.
Buscando laçar-me.
Eu enlaçado.
Entregue. Seduzido.
Apaixonado

Pela poesia que li,
Pela menina que não vi.
E pelo laço de fita
Que não senti.

DAS ÁGUAS

Com leveza
Extrema leveza
Sai das águas
Do Amazonas
Como se fosse
Uma deusa.
Angelical
Flutua no espaço
Como se saísse
Do *Cem anos de solidão*.
Movendo o rosto
Faz a garça
Soberana e graciosa
Saída dos arrozais.
O olhar
Enevoado
Saído dos sonhos
Do Oriente.
Eu, sucumbido,
Seduzido
E sem saída.

CICLO FATAL

O velho acumula histórias.
Ouvidas e vividas.
Conta-as. Repete-as.
E cansa os jovens.
Que não querem ouvi-las.
Querem vivê-las.
Para depois contá-las.
E também não serem ouvidos
Porque ficaram velhos.

INDISCRIÇÃO

Ao envelhecer
Devo escrever?
Contar minha vida?
Episódios
Conhecidos e desconhecidos?
Relatar segredos?
Recordar desejos?
Permitir,
Falando de outros,
Que outros saibam
O que pensava deles?

É o que os velhos fazem,
Em autobiografias,
Memórias,
Como se se vingassem
Por terem perdido a juventude.

SEM TÍTULO

Era uma tarde,
Tardezinha
Aguardando o anoitecer.
O sol
Vermelhando o céu.
A brisa
Suave. Leve.
Não havia razão
Para tensão.
Nem músculo retesado.
Nem ranger de dentes.
Havia distância
Entre o exterior
E o meu interior.
O mundo não era eu,
Eu não era o mundo.
Dois estranhos
Contra a minha vontade,
Convivendo.

TEMPO QUE PASSA

Deixo que o tempo passe.
E que os papéis
Percam atualidade.
Superados, rasgo-os.
Também assim
Nas relações.
Deixo que o tempo as consuma.
Exauridas, elimino-as.

O SABIÁ

Ele voltou.
Depois de um ano.
Na praça junto à janela do meu quarto.
Às quatro da manhã começou o canto.
Agudo, forte, ensurdecedor.
Eu acordo.
Não durmo.
Levanto às cinco.
Tonto.
Dormi à uma.
E logo sonhei
Com o canto do Sabiá.
Era um pesadelo.
Acordei assustado.
Não havia canto ainda.
Era só o pesadelo
De quem só dorme até as quatro.
Sinto que morrerei se não dormir.
Preciso de solução.
Morro eu ou ele.
Os dois, impossível.
Começo a matutar.
Contratarei pistoleiro.

Acampanado na madrugada, ao primeiro canto,
O tiro. E terei paz.
Dormirei.
Mas e os movimentos de proteção às aves?
E se eu for pego?
O que alegaria?
Estado de necessidade?
Legítima defesa?
Força maior?
Afinal era ele ou eu.
Poderei alegar que estava enlouquecendo.
Condenado, vou a manicômio judiciário.
Hoje soube que ele canta porque criou.
É para os seus.
É de alegria o seu canto.
De felicidade.
Eu, ser humano.
Ele ser vivente.
Eu triste.
Ele alegre.
Quem vale mais?
Concluí: ele.
Ele tem a praça.
Só a praça e a sua expansão sonora.
Eu tenho outro quarto.
Nos fundos.
Não serei assassino.
Nem dele, nem de sua felicidade.
Mudarei de quarto.

ANÔNIMA INTIMIDADE

Correio elegante.
Hoje, torpedo.
Bom mesmo era o correio elegante
Nas quermesses do interior.
O garçom levava a sua mensagem para alguém.
Ou trazia,
Sempre anônimas,
Palavras de amor.
Ou admiração.
Despertava curiosidade.
Quem mandou?
E a sua mente divagava.
Sonhava.
Fantasiava.
Desejava.
Será ela?
Outra?
Era uma intimidade aquele anonimato.
Depois, você caminhava para sua casa, para seu quarto.
E dormia inebriado pelas palavras e pelo perfume
Que o correio elegante trazia.

DOR DE CABEÇA

Farei tomografia
Para fotografar o crânio.
E ressonância magnética
Para verificar
Se os seios da face
Não estão congestionados.
Neosaldina, aspirina,
Todas as inas
Para combatê-la,
Até poder eliminá-la.
Enquanto não providencio,
Escrevo.
E a dor escoa
Pelas letras do escrito.
Desanuvio o pensamento
Marcando a tinta
O papel branco.

DESABAFO

Anos de tortura
Foram 52.
Foi-se o tirano.
Deixou-me agora
De uma vez.
Pra sempre.
Antes, deixava-me
Por duas semanas,
Um mês.
E voltava!
Eu nada podia
Dizer. Silenciava
Ou apanhava.
Foi-se o tirano.
Terei tempo
Para desfrutar?
Para sorrir?
Para ir e vir?
Sair? Ficar?
Sem angústia
E temores?
Não ouvir mais

O que diziam?
"Ele tem outra".
Foi-se o tirano.
Com sua empáfia.
Arrogância. Petulância.

E maldade.
Quanto tempo
O odiei!
Sem poder protestar.
Agora posso
Pelo menos
Escrever. E dizer:
"Que o diabo o carregue".

CONSELHO

Se eu fosse você,
Não seria como eu.

Dúvidas todo dia,
Noites indormidas.

Estudos pela metade
Discursos incompletos
Conselhos mal dados
Raciocínios mal formulados
Crenças abaladas
Decisões não tomadas
Temores fundados
Enganos praticados
Erros repetidos.

Se eu fosse você,
Seguiria meu conselho:
Não seria como eu!

AUDIÇÃO

Auditando
Minha voz,
Meço seus decibéis.
Sei, por eles,
Se estou
Vitalizado
Desvitalizado
Triste
Alegre
Confiante
Inseguro
Falso
Verdadeiro.

Minha voz
É minha vida.
Desde que
Auditada!

OLFATO

Ainda sinto
Com dor
Aquele odor.

Jaz, em mim,
O perfume do jasmim.

TATO

Tateando
Com tato
Contactei.

Tateando
Sem tato
Afastei.

SABER

Eu não sabia.
Eu juro que não sabia!

AEROPORTO

Não disseram nada.
Apenas se cruzaram.
Vieram de longe.
Ou dali mesmo.
Mas iam para longe.
Carregando dois fardos.
Sua mala e sua vida.

O OLHAR

De passagem. Rápido.
Furtivo.
Levanta o nervo ótico.
E a menina dos olhos
Olha para os olhos da menina.

CURIOSIDADE

Que curiosidade tenho!
Penetrar em todas as casas.
Percorrer todos os cômodos.
Ouvir as falas,
Os suspiros.
Assistir aos gestos de raiva
E de amor.

Verificar alegrias e tristezas.
Desvendar mistérios.
Buscar o desconhecido.
Isso, afinal, é penetrar.
Que curiosidade tenho!
Entrar em todos os corpos.
Conhecer a alma de cada um.
Invadir o pensamento
E avaliar se quem fala pensa como fala.
Ouvir as pulsações.
Estar em todos os lugares
Ao mesmo tempo.
Sem que ninguém me visse.
Invisivelmente.
Que curiosidade tenho!
Será inveja de Deus?

PASSOU

Quando parei
Para pensar
Todos os pensamentos
Já haviam acontecido.

SONHO REAL

Sonho angustiante
De quem viaja
Sem saber para onde.
Chega sem saber onde chegou.
Quer voltar,
Sem ter como retornar.

SABEDORIA

Soubesses
Das saudades que tenho
Das dores que sinto
Dos pavores que me assaltam
Dos temores que me invadem
Das incertezas que me assumem.
Não perguntarias.
E eu descobriria
Que sabes tudo.

ATÉ BREVE

Até logo
Até já
Até breve
São marcas de novo encontro.
Adeus
É para sempre
Para nunca mais
É não mais ver
Não reencontrar.
É eterno.
Por isso
Nunca lhe disse Adeus.

CANTIGA INFANTIL

Cadê o tempo?
Passou.
E os amores?
Sumiram.
E o desejo?
Esmoreceu.
E o sucesso?
Desapareceu.
E o entusiasmo?
Arrefeceu.
E a vida?
Acabou.

A LETRA P

Perpassa
Quando ela passa
Com seu passo
Perfeito
Petulante
"Potrancado"
Perturbadora presença
Penugem na pele
Um perfume perfumado
Uma paz progressiva
Um pedido de perdão

Perdoo-a!

INDEFINIÇÃO

São os olhos.
Nem azuis, nem verdes.
Claros, simplesmente.
Entre humildes
E arrogantes.
Sem nenhuma agressão,
Mas desafiantes.
Indagantes
E respostantes.
Autorizadores
E negadores.
Na melhor definição:
Indefinidos.

O PIANO

Piano. Filme
À noite sonhamos,
Vida de Chopin.
Cornel Wilde. Merle Oberon.
E a "polonaise"
Tocada ao lado de George Sand.

O pingo de sangue
No teclado branco.
Tuberculoso. Chopin.

Encantei-me.
Sonhava à noite.
E queria aprender.
Ser Cornel Wilde, Chopin.
A cidade pequena.
Não havia escola
Nem piano
Insisti.
Matricularam-me
Numa escola de datilografia.

Tocava o teclado
Da velha *Underwood*
Com os dez dedos
Como se fosse piano.

Obtive o diploma
De datilógrafo
Aos nove anos.
Como se fosse pianista!

BERGMAN E ANTONIONI

Recordam a juventude
Seus filmes
Indagativos
Inconclusivos
Em preto e branco
Com personagens
Atormentados
De olhos tristes
Temerosos do futuro
Solitários no presente
Com passado a marcá-los
Recordam a nossa juventude.

Mais agora
Quando se foram,
Deixando simples lembranças.

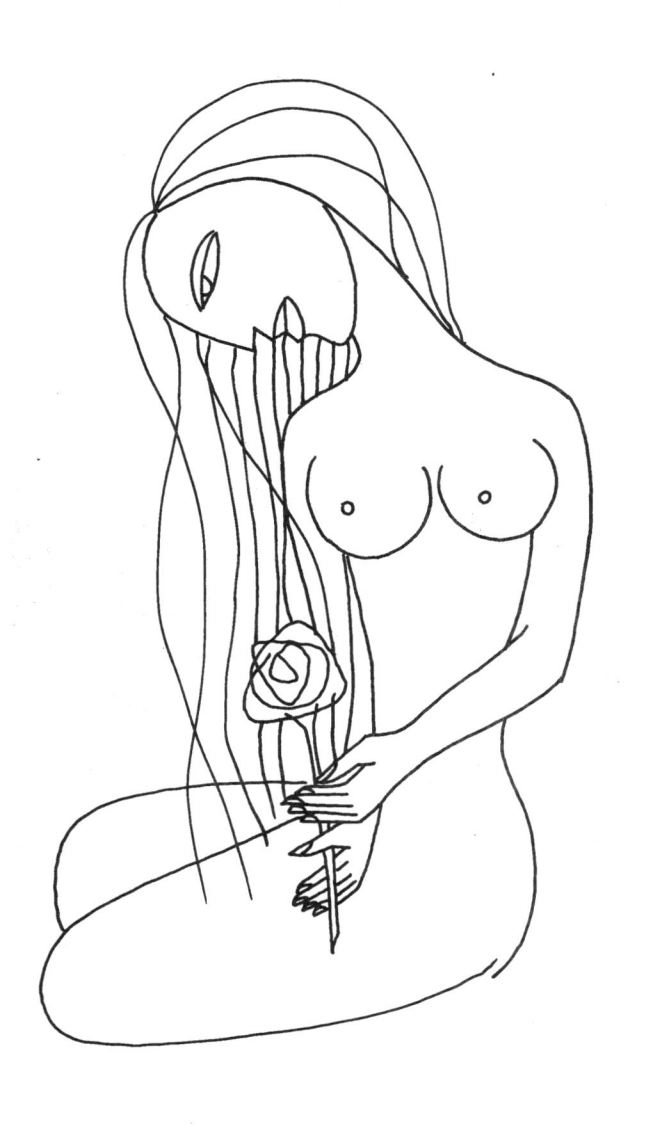

SUSTO

Se as pessoas
Vissem
O que veem
Os olhos
Que olham
Pra dentro...

A CANETA

A caneta
Parker
Americana
Comprada de vendedor
Que exibia maravilhas.

Com um tinteiro
Tinta INK,
A cada dois dias
Era preciso abastecê-la.

Apertava-se borracha
Que aspirava a tinta.

Com ela escrevi
No ginásio
As primeiras provas
E os primeiros contos.

Sumiu a Parker
Rasguei os contos,
Restou apenas
Esta lembrança.

GERAÇÕES

Acumulam-se
Em mim
Séculos de dor.

Passada
De geração em geração
Até que a última
Designou-me seu titular.

Debato-me com ela,
Mas não me desfaço dela.
Sou seu dono, exclusivo.

Sendo assim,
Resta-me um último embate.
Impedir por gestos,
Palavras, ação,
Disfarces,
Que ela passe
Para a próxima
Geração.

SOCORRO

Vinde a mim,
Platão, Aristóteles
Santo Tomás, Voltaire

Nietzsche, Schopenhauer
Khayyam, Gibran
Vocês, nacionais
Machado, Alencar
Macedo, Amado,
Guimarães Rosa, Euclides
Vocês, mulheres,
Rachel, Lygia
Hilda, Cecília
Zélia
Vocês, mineiros,
Sabino, Mendes Campos
Braga, Otto
Vocês, poetas,
Castro Alves, Casimiro
Varela, Drummond
Bandeira, Vinicius

Vocês, de hoje,
Kaled, Hatoum, Moro,
Ruiz

Vocês, que já me
Alimentaram tanto,
Socorro!
Vinde a mim, novamente.
Preciso escrever!

ENTRELINHAS

As linhas não valem.
Valem as entrelinhas.
São as que leio.
Quando escrevem.
Ou quando falam.
Nas linhas, a máscara.
Entre elas, a verdade.

IRACEMA

Que olhos tens,
Linda morena.
Que lábios doces,
Sabor de mel.
Que pele lisa,
Cor de jambo.
Que cabelos negros,
Brilhando tanto.
Que corpo esguio,
Lembrando a ema.

Que saudades tenho
De Iracema,
Índia-musa
De José de Alencar.

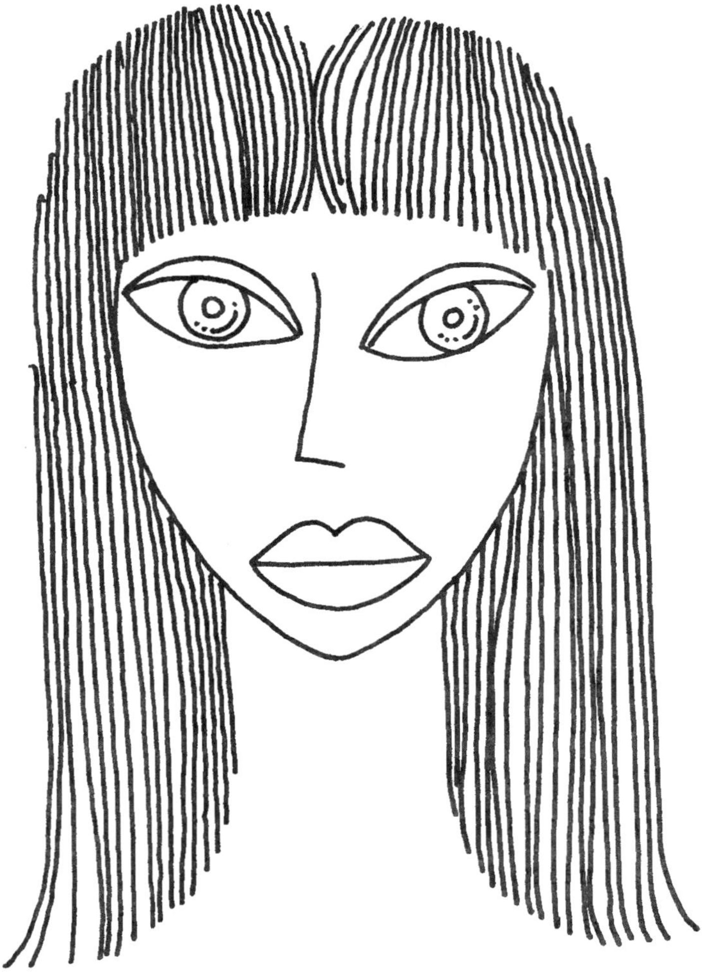

A VIDA E A FOTO

Flagro o momento.
Imobilizo o fato
Fotografando o instante.

O momento passa.
O fato muda.
O instante
Fica distante.

RADICALISMO

Não. Nunca mais!

EDU

Era ele assim.
Edu. Violinista.
E pintor. De paredes.
Um jeito cigano. Pardo.
Cabelo encaracolado.
E os olhos tristes.
Solitário. Morava só.
Num casebre. De favor.

À beira da estrada poeirenta.
Na pequena cidade. Ano 1950.
Ninguém sabia de onde viera.
Se tinha ou não família.
Parava na venda.
Manchado de tinta
Violino a tiracolo.
Era seu único bem.
Pagavam-lhe a cachaça.
"Toca, Edu".
Melodias tristes.
Enquanto tocava
Seus olhos choravam.
Eu, garoto de olhos vivos
A observá-lo.
E depois, debaixo da jabuticabeira,
Tentando desvendar
O segredo da tristeza de Edu.
Cresci. Nunca soube
Nem me interessei por ele.
Recordo-o agora
Toda vez que o violino toca.
E a lágrima surge,
Com a mesma tristeza de Edu,
Nos meus olhos cansados.

VELÓRIO

São só os lábios
Que entrevejo
Entre frestas
Do entreato
Da triste entrega
Ao entretenimento
Da extrema-unção...

OS OLHOS

Desmentem gestos,
Palavras.
Lançam mensagens
De amor
E de ódio.
Veículo do choro,
Traz a lágrima
Que alivia tensões.
Meio de comunicação
Da mente com o mundo.
Mensageiro das sensações
Ocultas,
Desmentindo as aparentes.
Reiterando sentimentos,
São a parte mais verdadeira
Do corpo humano.

ENTUSIASMO E FRACASSO

Assim.
Começando a vida.
Primeira viagem profissional.
A tensão do aeroporto.
A excitação. O nervosismo.
A antevisão de tudo.
Chegaria lá.
Conversaria com o ministro
(Será que a atenderá?)
Entregaria o memorial
E assistiria ao julgamento.
E voltaria, vitoriosa
Contando os argumentos
Que usara com o relator.
19 horas. Voo de volta.
Decepção. Tristeza.
Fracasso. Palidez.
O relator indeferiu o recurso.
Nem mesmo o conheceu.

PROCURA I

Não tenho mais a quem falar.
Será que você me ouviria?

FUGA

Está
Cada vez mais difícil
Fugir de mim!

PROCURA II

Ando à procura
De mim.
Só encontro outros
Que, em mim,
Ocuparam o meu lugar.

VIVER

Hoje a sensação
Foi de saudade.
Dos tempos de inexperiência
Dos tempos em que eu não sabia
Dos tempos de improvisação.
Dos tempos
Em que as coisas erradas
Davam certo.

E me faziam avançar
Cheio de vida
Até aqui.
Para chegar.
Ter experiência.
Saber.
Não improvisar.

E, como consequência,
Deixar de viver!

ESPAÇOS

Meu mundo
Espacial
Não é nada especial.
É restrito.
Diminuto.

Incapaz de abrigar
Meus desejos
Sentimentos
Pensamentos
Anseios
Esperanças
Tristezas
Alegrias.

DÍVIDA

Não me dei conta
Da conta que o tempo faz.

Multiplicações. Divisões.
Adições. Subtrações.
Nessas operações
Tive descontos
Na minha conta.
Mas sou, ainda,
Devedor.

PENSAMENTO

A solidão é a melhor companhia.

TRAJETÓRIA

Se eu pudesse,
Não continuaria.

FALTA

Esta incompletude
Que me faz metade
Nunca inteiro
É que me leva
Me impulsiona
Me movimenta
Para completar-me
Deixando de ser
Quase!

TRANSFERÊNCIA

Esta sensação!
Não é aqui.
É outro lugar.

Passou,
Não vi. Não senti.

E recordo
Quando deito
Quando acordo.

Só relembro
Quando ando
E me desmembro

Em memórias
Raciocínios
Simples histórias.

Que se contam
E se descontam.

Não são situações,
Nem soluções,
Só ilusões

Que fazem retornar
A sensação.

Não foi aqui.
Foi em outro lugar.

O ESPELHO

Viu no espelho.
Olhos de sua mãe
Lábios de seu pai.
Buracos na face
De sua irmã
Cabelos sem brilho
De seu irmão
Rugas de outro irmão.
E o cansaço!
Enorme cansaço que era seu.
Viu tudo de todos
Quando tinham
Mais de 65 anos.
O espelho espelhava,
Agora,
A sua velhice.

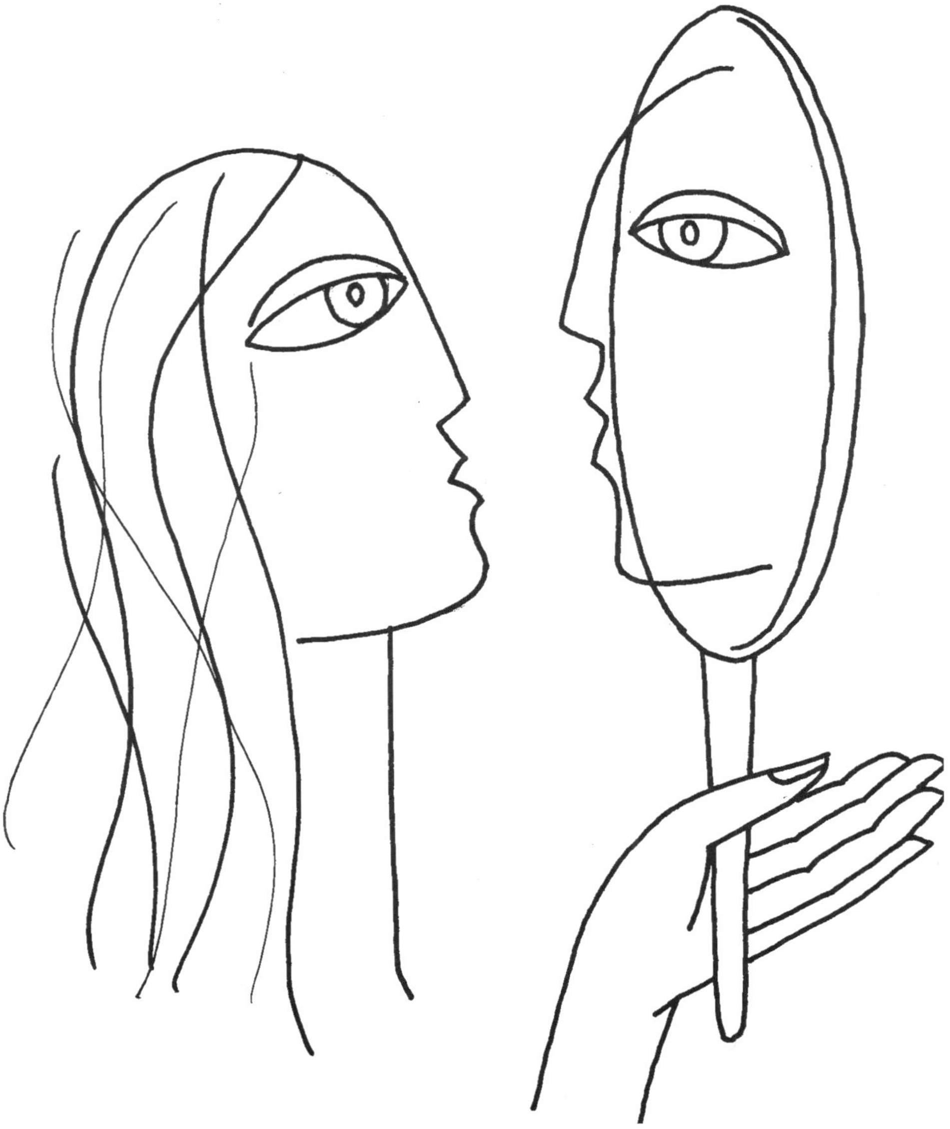

VAI E VEM

Depois do almoço
À tarde,
Sol escaldante,
Calor insuportável.
A casa
Isolada,
Nada perto.
Vêm os primeiros pingos,
O relâmpago
Anunciando o trovão
Apavorante
E a chuva
Forte. Borrasca.
Inunda tudo.
Para, depois,
Vir o sol
Em céu azul
E o tempo
Fresco. Ameno,
Como se nada
Houvesse acontecido.

Como minha alma
Nesse vai e vem de sensações.

VERMELHO

De vermelho
Flamejante.
Labaredas de fogo.
Olhos brilhantes
Que sorriem
Com lábios rubros.
Incêndios
Tomam contam de mim.
Minha mente
Minha alma.
Tudo meu
Em brasas.
Meu corpo
Incendiado
Consumido
Dissolvido.

Finalmente
Restam cinzas
Que espalho na cama
Para dormir.

NADA É TUDO

Acabara de falecer.
Pintara, ao companheiro,
Quadro abstrato.
Pedaços de mesa,
Frutas, flores,
Em profusão e em confusão.
Torcidos, retorcidos
Disformes, desconjuntados
Deformados.
A tela
Quase toda tomada.
Um tudo
Aquelas figuras.
A revelação
Da maior parte
De sua existência.
No canto
Um quadrado branco
Como se faltasse conclusão.
Um nada.
Naquele branco, naquele nada,
A paz. A harmonia.
A serenidade.

A parcela de vida
Passada com aquele
A quem homenageava.
Para ela
O Nada foi Tudo.

OUTRA VEZ

Faço.
Refaço.
Penso.
Repenso.
Vejo.
Revejo.
Considero.
Reconsidero.
Que desastre seria
Se não houvesse
O RE.

COMPREENSÃO TARDIA

Se eu soubesse que a vida era assim,
Não teria vindo ao mundo.

PENSAMENTO

Um homem sem causa
Nada causa.

ENGANO

Serei eu no espelho
Ou serei aquele
Que a minha mente exibe?
Haverá coincidência
Entre a imagem no espelho
E eu próprio?
Na foto,
A desconformidade.

Não sou, nela,
Aquele que vejo
No espelho.

LONGE. MUITO LONGE

"Cigarro apagado no canto da boca enquanto passa o
  seu passado".
3ª série ginasial. 13 anos.
Redação livre. Comecei assim.
Prossegui. Falando do boêmio.
Palavra mágica. Aos 13 anos.
Aula de Português.
Professora lê.
"Você vai longe
Com essa criatividade!"
Nem sei se a frase era minha
Ou se havia lido.
Sei que fui longe.
Tão longe que hoje
Sem cigarro
No canto da boca
Vejo passar o meu passado.

VIDA E MORTE

Cenário no vídeo: mulher costurando em velha máquina de costura. Uma Singer. Assim, com g. tipo Gr. SINGER de Sing, portanto, cantora. Menino, minha atenção voltava-se para o nome. Singer, cantora. Nunca vi minha mãe cantando enquanto costurava. Cantava quando lavava os pratos, a roupa e fazia comida. Será que alguma costureira cantava na Singer? Ou canta hoje? Quando visito as confecções vejo centenas de máquinas de costura e as respectivas costureiras. Nenhuma canta. Ao contrário. São atentas e vigilantes. Sérias. Compenetradas. Como se penetrassem com seu pensamento em cada furo que a agulha vai fazendo. Quando param de costurar, ainda mantêm a seriedade como se o pensamento levasse algum tempo para sair da máquina e da costura. Por que Singer? O nome seria próprio para os tanques de lavar pratos ou roupas. Lá é que a mulher canta.
Mas o cenário no vídeo era mais amplo: retratava uma mulher costurando. Atrás de si, uma janela. Pela janela e pela sala dava para imaginar a rua e a época. Rua pacata de paralelepípedos mal rejuntados com poucas pessoas. Quase ninguém. Silêncio. Placidez. A época – percebia-se pela moldura – mais de sessenta anos atrás. A sala colorida, com quadro, o pano que descia costurado. O movimento dos pés, a mão puxando o pano, óculos nos olhos, face inclinando-se levemente para cima e para baixo. Sonhos – muitos sonhos – na alma da costureira. Que se isolava na costura, até que o marido chegasse, os filhos gritassem, a vizinha batesse à porta. Era vida, aquele cenário.

Na sequência, novo cenário: dezenas de computadores – não sei por que – substituindo a máquina de costura. Era a propaganda de modernidade. A comparação do antigo com o moderno. Nenhuma mulher, nenhum homem, como se aqueles computadores fossem, por si, autômatos. Nenhum movimento. Nenhuma janela. Nem a perspectiva de uma porta. Ambiente limpo (*clean*, num anglicismo). Paredes, mas brancas, pálidas. Nada humano. Nada que a minha mente pudesse criar ou imaginar. Era a morte, esse cenário.

CONFISSÃO

Eis-me aqui
Tresloucado pela dor
De não poder revelar
Minha dor para ninguém.

PROCURA III

Procurei, alegremente,
O amor.
Ao encontrá-lo,
Entristeci.

2002

Fogos. Barulho. Lembrando famílias reunidas. Ou casais apaixonados.

Ou não apaixonados. Mas casais. Um fazendo companhia ao outro. Alegria.

Ou tristeza. Recordações. Projeções. "Este ano será diferente". Pelo menos até a meia-noite que inaugurará 2003. Tudo, então, se repetirá. Champanhe. Nacional ou estrangeira. Nas taças. Brindes. Formais. Falsos. Ou até verdadeiros. Um casal de amantes, explodindo. Entre rojões e estrondos. Querendo inaugurar a vida. Ou, tão só, fazer parte dela. Viver. Por meio da fórmula mais conhecida. Da integração. De íntegro. Inteiro. "Não sou só eu. Somos nós. Você é metade. Eu, a outra. Dentro sou eu inteiro. EU, maiúsculo". Como quis Deus. "Sou Deus, te amando". Gente de branco (os que podem). Dá sorte? Ou será pureza? Querem limpar-se do passado? Ou almejar futuro limpo, honesto (como não fizeram durante o ano)? Outros, não de branco. São rotos, esfarrapados. Pedem. Uns e outros. Uns, sofisticados, pedem paz. Outros, dinheiro, comida. Jovens pensam no futuro. Velhos, no passado. Amálgama de alegria e tristeza. De falsidade e verdade. Presente e passado. Passado e futuro.

Deito-me. Só. Antes dos estrondos. Que ouço. De olhos fechados e ouvidos tampados. Entre foguetes espoucando, percebo. Que não sou jovem. Nem velho. Nem casal. Nem família. Nem amante. Sem passado. Sem futuro. Sem presente. Sem explosão. Nada de vida. Sou nada. Sou corpo jogado na cama.

Não sou EU. Nem eu. Sou (sei) NINGUÉM.

ANGÚSTIA E CULPA

Angustio-me
Por quem conheço.
Imagino seus dramas.
Especialmente, se próximo.
Dói-me a alma.
"No seu pensamento, agrava a situação do pensado"
Já disseram. Mas não acredito.
Embora seja verdade
Mas não é ela que me move.
É o meu sentimento. A minha culpa.
Sou culpado por todos. Pelo mundo.
Mas só consigo tentar resolver a dos que estão perto.
Ou melhor: resolver a mim mesmo
Eliminando essa culpa universal que carrego.

RELAÇÕES

Relação? Com quem?
Onde? Como?
Com meu pai?
Minha mãe?
Mulheres?
Será?
Não. Nenhuma.
Esgotaram-se todas.
São recordações.
E a recordação (passada?)
Liquidou
A última relação.

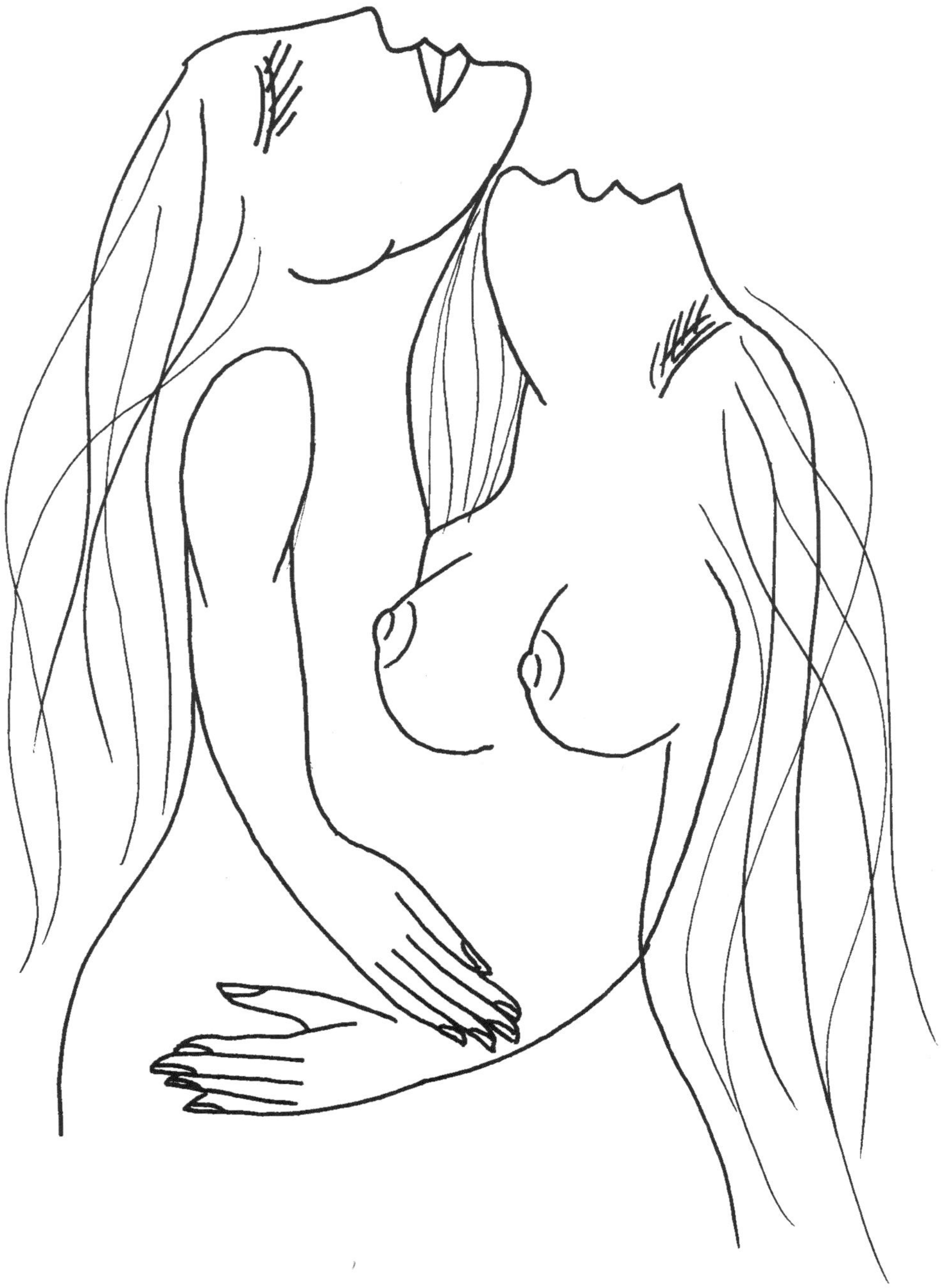

DESÂNIMO

Sem relação
Sou corpo
Solto no espaço.
Desligado.
Desconectado.
Sou mente
Sem porto
Em mar
Encapelado.
Espírito
Sem paz
Em alma
Desanimada.

SÓ

É a solidão. Pungente. Dolorosa.
Antes, eram tantos.
Tantos eram
Que não me apercebia
Que um dia
Iriam.
Me deixariam.
Não voltariam.
Não diriam adeus.
Nem até breve.
Desapareceriam
Simplesmente.
E nem perceberiam
Que haviam me deixado.
Porque
Na verdade
Eu é que os deixei.
Não são eles.
Sou eu
O autor
Da minha solidão.

GARÇA? GRAÇA!

Uma garça

No seu andar. Um pouco aflita.
Desembarcara. Duas horas e meia, o voo. Uma hora, a conexão.
A mala, grande. Mas quase vazia.
Quando foi, estava cheia.
Presentes. Para irmãs, sobrinhas, pai.
Para surpreender a família. Mostrar que prosperara.
E a familiaridade com a cidade grande.
Contava, alegre, coisas que os de lá não sabiam.
E ficava orgulhosa do orgulho deles.
Voltara agora.
A cidade grande dos seus ditos a envolveria novamente.
Daí a aflição.
E cadê ele? "Disse que vinha buscar-me".
Outra razão para a dúvida aflita que os olhos denunciavam.
Ele não entrou no aeroporto.
Esperava fora.
Seus olhos deram com os dela. E sorriram, timidamente.
Mas ela relaxou.
Ali estava sua segurança. Lá estava quem lhe permitiu contar O que contou.
Suave, caminhou
Para encontrá-lo. Com seu andar, seu olhar, seu cabelo, seu leve sorriso.

Uma graça!

O HOMEM EM DOBRO

E essa criança que não me deixa!
Que me segue. Não desgruda. Cola na minha mente.
Persegue meu raciocínio.
Frequenta meus sonhos. E os transforma em pesadelos.
Reclama. Esperneia.
Pergunta sempre: por quê?
E eu, envergonhado, a esconder-me.
A disfarçar. A fazer de conta que não é comigo.
Temeroso, sempre, de que as pessoas percebam.
Silenciando sua voz. Para que não me denuncie.
Não conte a ninguém tudo que sabe. Me desmoralize.
Deveria matá-la.
Procurei fazê-lo.
Sufocá-la. Abandoná-la. Esquecê-la. Ignorá-la.
Não consegui.
Por que ela, com três, com onze, aflita, tímida,
Trêmula,
Sou eu mesmo.
Só que tenho sessenta e cinco.

RÉQUIEM

Digo-te adeus
No sentido literal.
Vai-te a Deus.
E não rezo a ti.
Tu rezarás por mim.
És tu o privilegiado.
Deus te trouxe
E agora, saudoso,
Veio buscar-te
Para um sítio
Florido. Colorido.
Onde não há sentimento.
Nem bom. Nem mau.
Agora sim, viverás.
Fico aqui. Molambo.
Carregando dores
Da alma. E do corpo.
És tu o privilegiado.
O eleito.
Ore por mim.

RETRATO

Em sépia.
No fundo da gaveta.
Tomo-o.
A fisionomia grave,
Tensa, do pai.
A triste, conformada,
Da mãe.
A filha mais velha
Com a face
De quem começa
A sentir tristeza.
E os irmãos.
Meninos. Buliçosos,
Sorridentes.
Inconscientes
De tudo
Que viria depois.

A VIDA E O TEMPO

Chorei lágrimas milhares
Chorei lágrimas centenas
Chorei lágrimas dezenas
Chorei uma única lágrima.

Depois, não chorei nunca mais.

BOM ANO

Desejou-me um "bom ano" como se desejasse que o meu novo ano fosse realmente bom. Não foi formal. Nem educada. Nem cerimoniosa. Disse-o como se expressasse uma vontade. No seu "bom ano" tinha muito da tradição familiar. Daqueles que se abraçam à meia-noite e encontram, nesse abraço, o desejo da fraternização, da reconciliação. Dos que querem esquecer o que passou e encontrar o que não encontrou (ou desencontrou). Tinha muito, o seu "bom ano", daqueles que se decepcionaram mas deglutiram a decepção. Seu "bom ano" equivalia a um abraço. De quem sabe que é só (somos todos), mas que partilha, naquele instante, uma dualidade. Seu "bom ano" reacendeu em mim os anos em que os anos recomeçavam, de fato, no dia 1º. Seu "bom ano" lembrava-me que anos houve em que havia 31, o fim que significava a proximidade do reinício.

Seu "bom ano" não tinha dor. Tinha, até, leve alegria misturada com pesar. Seu "bom ano" era de pessoa apartada. Que fora parte e deixou de sê-lo. Tinha, por isso, ao mesmo tempo, ligeira e conformada tristeza. Seu "bom ano" revelava seu bom caráter. De quem acreditou no incrível, de quem imaginou que todos têm bom caráter. Seu "bom ano" não trazia nem mesmo a pergunta: por quê? Seu "bom ano" era a manifestação da alma. Não era uma voz simplesmente. Era um sentimento.

Ao responder-lhe "também" ao seu "bom ano", só pude pronunciar esta palavra. O mais ficou nas minhas lágrimas. Todas indicando saudade do que fui.

VELA E VIDA

A vela é vela
Por que vela
No velório?

Ou é vela
Porque ilumina
A escuridão?

Será que a vela
No velório
Ilumina a escuridão
Da morte?

Velório é um monte de velas?
Se é, por que não substituí-lo
Por lâmpada de sessenta velas?

Sei que não.
É simbólico.
É que a vela
É chama que consome o corpo
Até que a vela desapareça.

Tal como o velado,
A chama da vida
Consumiu seu corpo.

BREVE ILUSÃO

Não te iludas.
Não procuro a ti.
Procuro o passado
Que em ti
Se localiza.

NASCIMENTO E DESEJO

Quando eu nascer, Senhor,
Daqui a quatro horas,
Pela sexagésima segunda vez,
Fazei com que eu nasça
Um outro homem.

Fazei, Senhor,
Com que a vida anterior
Às sessenta e duas vezes
Que nasci
Seja apenas referência
Para a existência
Que virá depois.

Que eu seja, Senhor,
Melhor.
Que eu viva para os outros,
Não para mim.
Que eu ame, Senhor,
Quem me ama.
E também quem me detesta.
Até os que me ignoram
Incluídos os que não me conhecem.

Que eu ame a todos, Senhor,
Que eu seja bom
Sem fazer da bondade
Uma virtude, nem pretensão
Mas que seja conduta natural.

Que eu seja honesto, Senhor,
Sem fazer da honestidade
Uma pregação.

Que eu compreenda os maus,
Os desonestos, os drogados
E os que traficam drogas
Os violentos e os insatisfeitos.

Que eu seja capaz, Senhor,
De, com bondade,
Extensão da Sua,
Fazê-los bons, honestos
Não drogados, pacíficos e satisfeitos.

Enfim, Senhor,
Que eu seja, no mundo,
A revelação da Sua presença.
Se não for assim, Senhor,
Melhor que eu não nasça pela sexagésima terceira vez.

Este livro foi composto
na tipologia Minion e impresso
em papel Lux Cream 80g/m²,
na Gráfica Mangava.